• CONTENTS •

• CONTENTS •

山王工高
7

두———웅

멍…
저…
전대미문의
최고 바보야….

지…지금
뭐라고
한 거야?
"산양은 내가
쓰러뜨린다."
라고 말한 것
같은데요….

뭐라고
—!!
까불지
마!!
너 지금
그걸
말이라고
지껄이냐!!
#243 O.R.

와아
거기에서 내려와!
건방지게!!

꽈직
!!

죄송합니다. 저 녀석, 농구 시작한 지 4개월 밖에 안 돼서….
게다가 원래 바보거든요!
이번 한 번 뿐이다. 다음엔 퇴장이야!!

우리 지역의 수치다…!!

바보 같은 놈!!
콜-콩

꾸웩!
당

SHOHOKU
11

헤헤헷!
어떠냐,
너희들!
앙?!

이젠
이길 수밖에
없게 되었지?

!!

고릴라,
얼굴이
그게 뭐야?
설마…
우리가 이길 수
없다고
생각하는 건
아니겠지?

뭐라고….

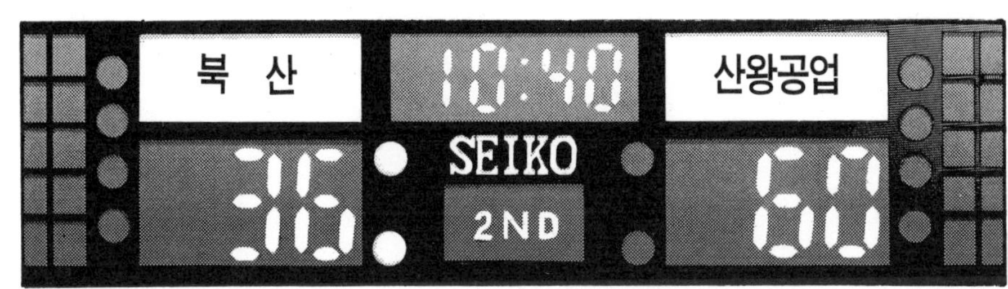
북 산
10:40
산왕공업
36
SEIKO
60
2ND

너희들의
나부랭이 같은
바스켓 상식은….
내겐 통하지
않아!!

그렇게
쉽게 이긴다고
말할 수 있는
점수차가 아냐….
응?

바보
녀석들.

풋내기니까!!
흥

자, 가자! 애들아!
크하하하하
죽기 살기로 이 천재를 따라오라구!

우우우우
퇴장이다ㅡ!
우우우
퇴장시켜라!
심판은 뭐하냐ㅡ!!
하나도 안들리네~

야,
너희들!
승리의 응원을
하지 않고
뭐해!!
관객들의
기세에
눌려있으면
어떡해,
멍청이들아!
맞아!
SHOHOKU
HIGH SCHOOL
BASKETBALL TEAM

승리의
응원…?

우하!
웃고 있네…!?
저건….
'과연 이길 수 있을까.' 하는 웃음이 아닐까요….
음….

녀석들은 끝까지
대항하는 상대를
원하고 있다.
자신들의
끝없는 향상심
때문에….

와—하하핫!
잘 한다,
백호야!!
녀석은
아직 죽지
않았어—!!

응….
아직
끝난 게
아냐
…!!

아직 이길 수
있다!!
부탁해,
강백호!!
가라—!!

와아아아아아아아아아
ー
꿀꺽
네 임무는
리바운드겠지.
!!
쿠웅

철저히
박살내주마,
빨강 까까중!

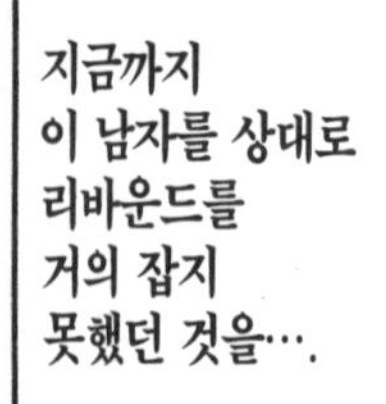
지금까지
이 남자를 상대로
리바운드를
거의 잡지
못했던 것을….

강백호는
알고 있었다.

……

리바운드 재능을
인정받아 산왕의
스타팅 멤버로
발탁된 남자.
정성구.

※스크린 아웃: 리바운드 때 유리한 위치를 차지하기 위해, 또는 상대 선수가 리바운드하지 못하도록 자기 몸으로 블로킹하는 것.

!!
러
억
안 돼!!
저 멍청이! 내 생각이 정리되기 전에 슛을 쏘다니 ―!!
빌어먹을――!!

좋아!!
…………
다다다
백호야―!!
……!!

꾸욱
!?

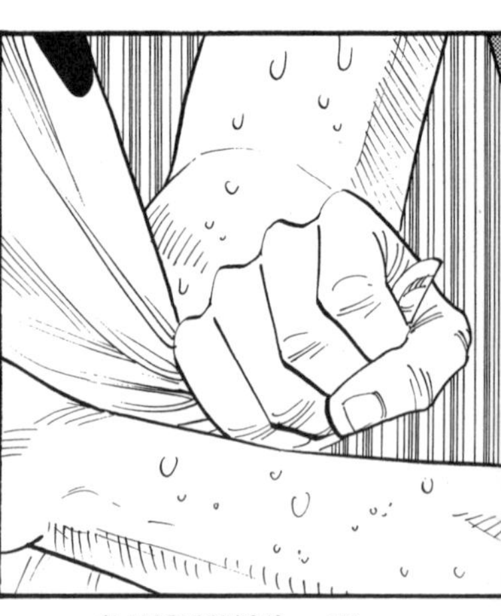

?

윽-!

으랏차!
SHOHOKU
10
아아!!

타아악
좋아
그게 아니잖아!!
SHOHOKU
10

휘익
아--앗!

철
썩

아?

#244 HEART OF TEAM

SEIKO
2ND
마침내—
북산의 후반 첫 골이 터졌다.
SHOHOKU

와 와
저 녀석….
헉
헉
와 와

저 빨강 까까중이 내 유니폼을 잡아당겼잖아!
어딜 보고 있었던 거야, 멍청이!!

윽….
-라고 말하고 싶은 모양새임

으랏차!
철썩
부들부들
부들부들
요… 용서 못해!
……

※NO.1ガード：NO.1가드

반드시
다시 한 번
흐름이
우리 쪽으로
올 거야!!
山王工高
4

그때까지
10점차
정도로만
유지할 수
있다면….
북산
10:20
산왕공업
38
SEIKO
2ND
60
아직 역전할
찬스는 있다!

앗
?!
SHOHOKU

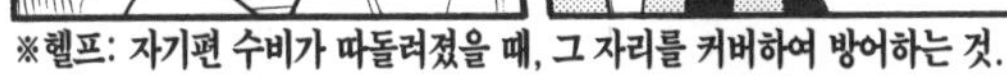
※헬프: 자기편 수비가 따돌려졌을 때, 그 자리를 커버하여 방어하는 것.

파
얏
!!
앗!

저 바보 녀석!
왜 골밑에
없는 거야!!

쳇!!

으랏차!
턱
아앗!!
!!
정신 차리지 못해!!
태섭아!!

흐름은 우리 스스로 가져오는 거야!!

헉
헉
……
헉

내가!
내가!!

헉
헉
헉

송태섭….
포인트가드로서
꽤 성장했군….
하지만….

맨투맨에서
이렇게까지
자신을 제압하는
상대를
처음 맞닥뜨린
에이스
서태웅….
SHOHOKU
14
전반,
디펜스의 명수
김낙수를
따돌리기 위해
움직임이 지나쳤던
탓인지, 정대만에게
뭔가 기대하기엔
곤란한 상태였다.

채치수에게
자기 팀의
흐름은 보이지
않아.
그는 신현철을
지나치게
의식하고 있어!

헉
헉
헉
헉

공격 수단을 잃은
북산은
어쩔 수 없이
송태섭 스스로
슛을….
휙
3점슛—!.
산왕공업

들어가라!!

그리고
백호의 싸움은
여기서부터
시작된다.

송태섭!!
들어가라—!

!!
두 번이나
똑같은
수에
당할 것
같으냐!!

헤이크다!
앗!!
스
샥
SHOHOKU
10
쾅
앙
!!
쳇!!
아앗─!
아깝다…!

!!

아니?!

철썩

!!!
해냈다!!
와아아아아
강백호―!!
저 녀석…!!
하하핫! 봤느냐!!
우우우우우우우우우
침착해용.
미안….
山王工高
5
4

흉내 한번 내봤다, 떡판 고릴라!
헤헤헤
뭣이?

…………
만지작

호호홋.
지금의 두 개는
잘 잡았군요.
와
괴…굉장해요.
선생님 지시대로
백호가…!!
와

아직 자네의
재능을 다 발휘한 건
아니에요,
백호군….

예…?

게다가….
단지 리바운드만
잡으라고
백호군을 투입한 게
아니랍니다….

북산
오옷!
철썩
오옷!
오옷!
오옷!
오옷!
오옷!

좋았어─! 우선은 점수차를 10점대로 만든다!!
헉
헉
헉
헉
헉
오우!!
와아아아아아
잘한다, 북산!!
힘내라, 북산!!
승리는 우리 것! 북산!!

파이팅,
북산!!
채치수….

채치수다….

너다!

북산의 혼은
바로 너다,
채치수…!

헉
헉
헉
헉

헉
헉
헉
헉

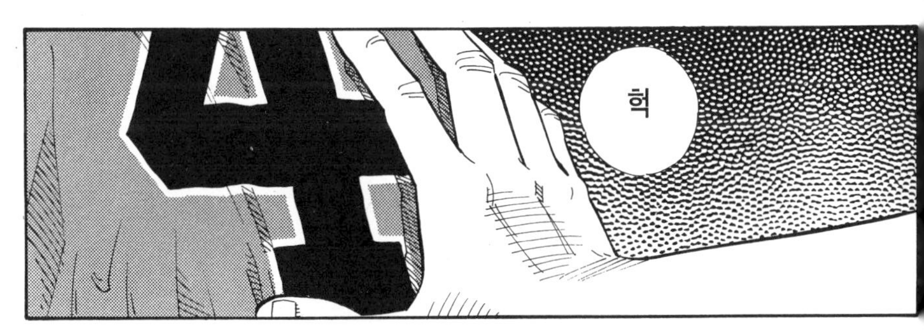
헉

헉
헉
헉
헉

#245 어둠 밖으로
헉
헉
헉
헉
헉
헉

북 산
9:31
SEIKO
2ND
40
산왕공업
60
와
디펜스!!
와
와
와
와
디펜스!!

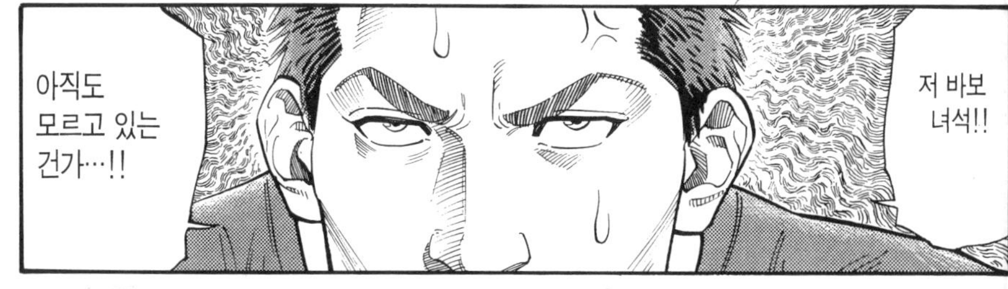
저 바보
녀석!!
아직도
모르고 있는
건가…!!

주장!!
볼을 너무
오래 갖고
있어요!!
안 되겠으면
패스해요!!

앗!
포위됐다
!!
와
와

빌어먹을!
읏….
와
와
와
와
와
와

무어냐~.
저 꼴사나운
슛은—!

앗! 나의 특기,
몸비틀어 쏘는
슛을?!

그건
웬만해선
들어가지
않아—!!

캉
역시나!!

10

그거다!!

으랏차!!
山王工高
5

공장한
점프력이야
!!

아니,
그보다….

빨라…!!

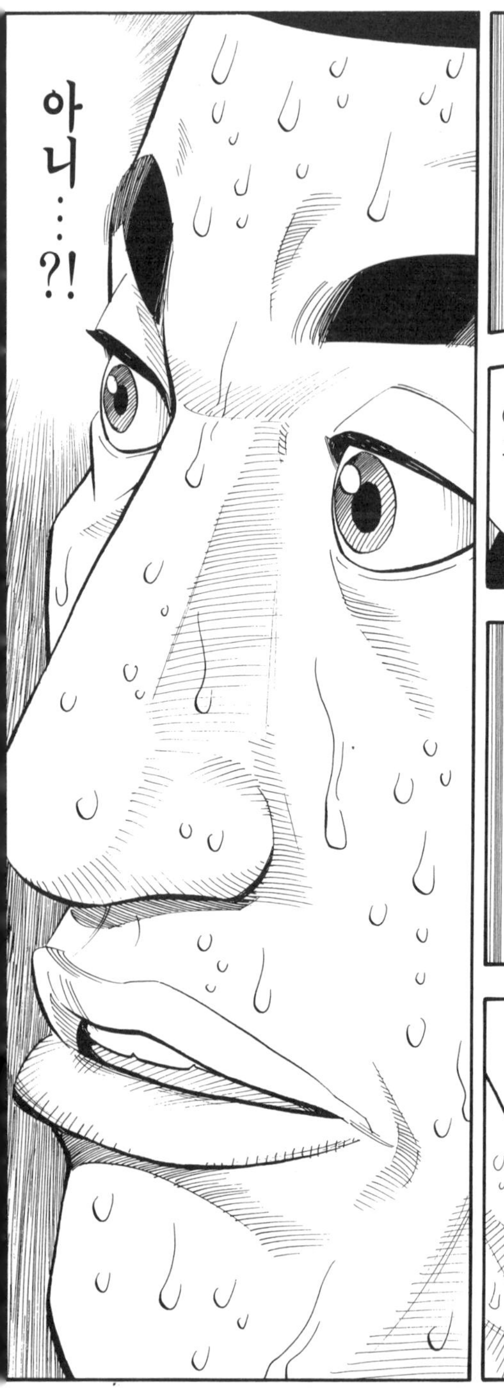
아니…?!

와—
우오오옷!

빨강
까까중!

꽤 하는군!!

第 回全国高
척
억
아얏──!

휘
에잇!!
山王工高
패스해, 백호야!!

팟
아!!

프리다!!

……!!
고릴라!!
강백호…!!
뭘 망설이는 거야!!

전국제패…!!

치잇
저 한심한 놈…
뒤적
뒤적

우와아아아아!!
주장의 결의

#246 주장의 결의

!!
아!
삐이―약
휘청
응

쿵
웅

오펜스!!
오펜스 차징!!

윽….

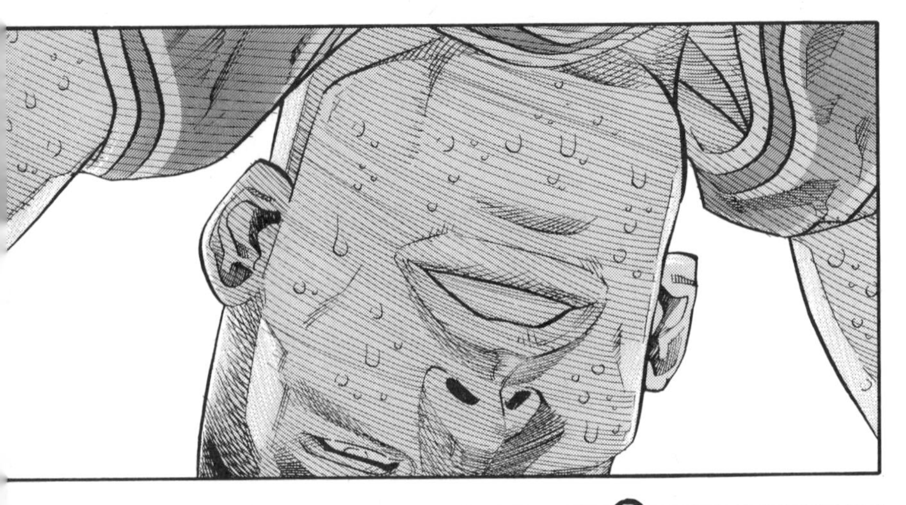

고릴라!!
주장!
레프리 타임!!
술렁
술렁
술렁

술렁
안 돼…
술렁
술렁

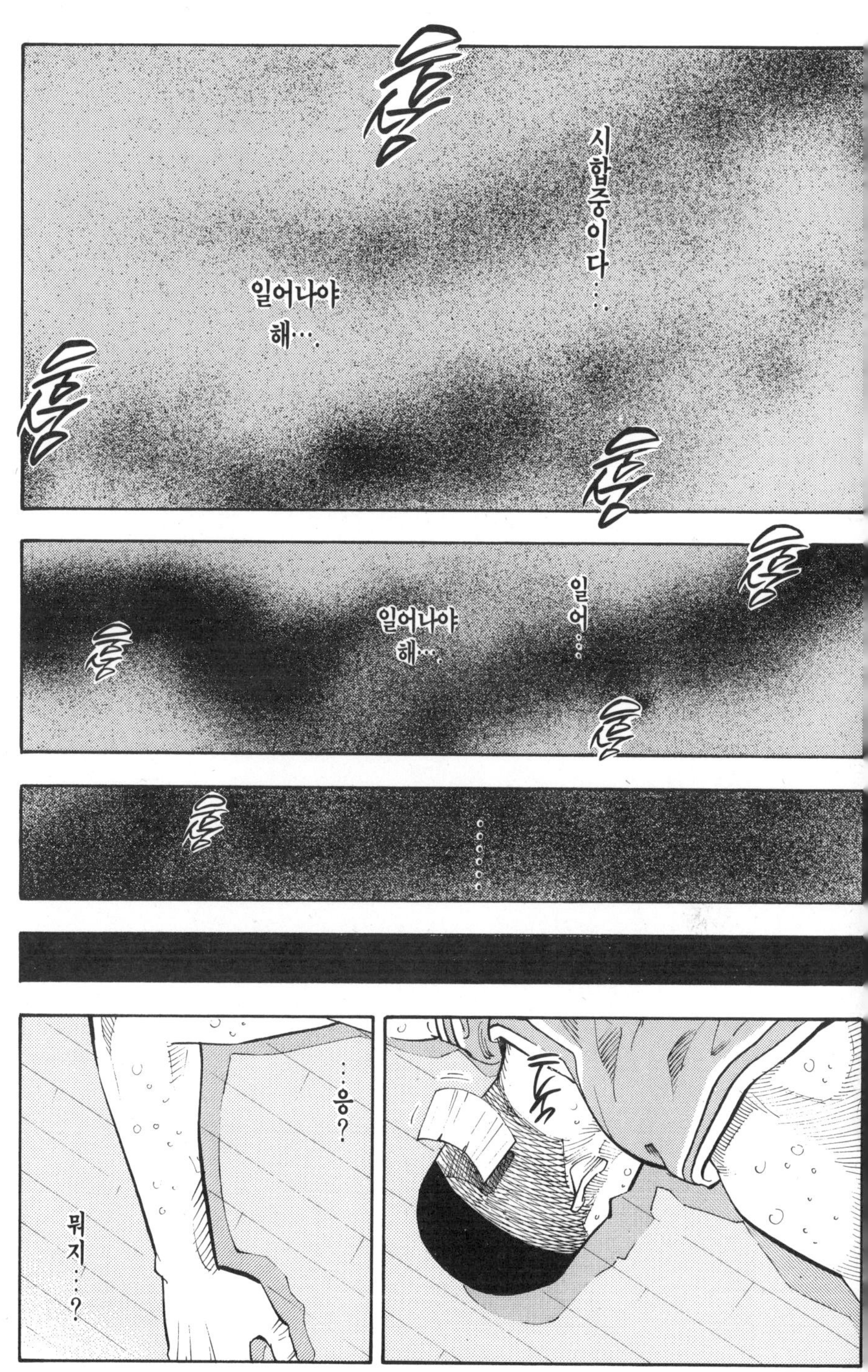
시합중이다…
일어나야 해….
일어…
일어나야 해….
……
…응?
뭐지…?

……

……
사각

변…
삭각…

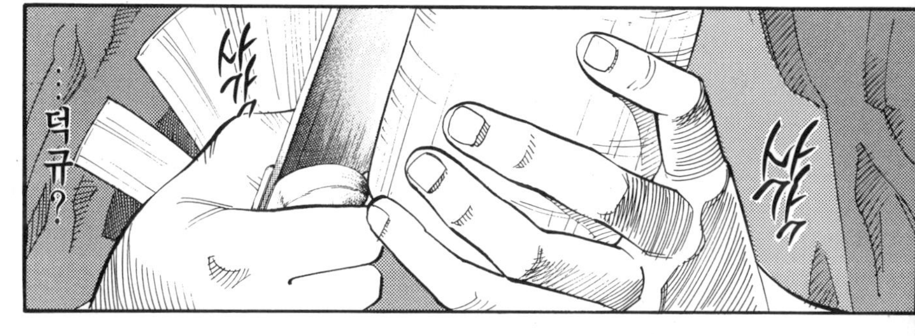

삭삭
삭각
…더규?

웅성
웅성
웅성
삭
……?
웅성

웅성
웅성
웅성
……
어느
틈에….
어디에서
저런 걸….
웅성
웅성

두목
원숭이?
?
어떻게
여기에
…?

웅성
뭐… 뭡니까?
당신은?!
나가요!!
웅성
웅성
무
썰
기
다.

경
비
!!
옛
!

뭐야,
뭐!
웅성
누구냐,
저 요리사는!!
채치수 학부형인가?!
웅성
웅성

변…
변덕규…!!

따라 오십시오!
……
누… 누굽니까, 당신은!!

화려한 기술을 가진 신현철은 도미….

네게 화려하다는 말이 어울린다고 생각하냐, 채치수!!

응?

채치수 아버진가….
역시 크다…
그게 아냐…

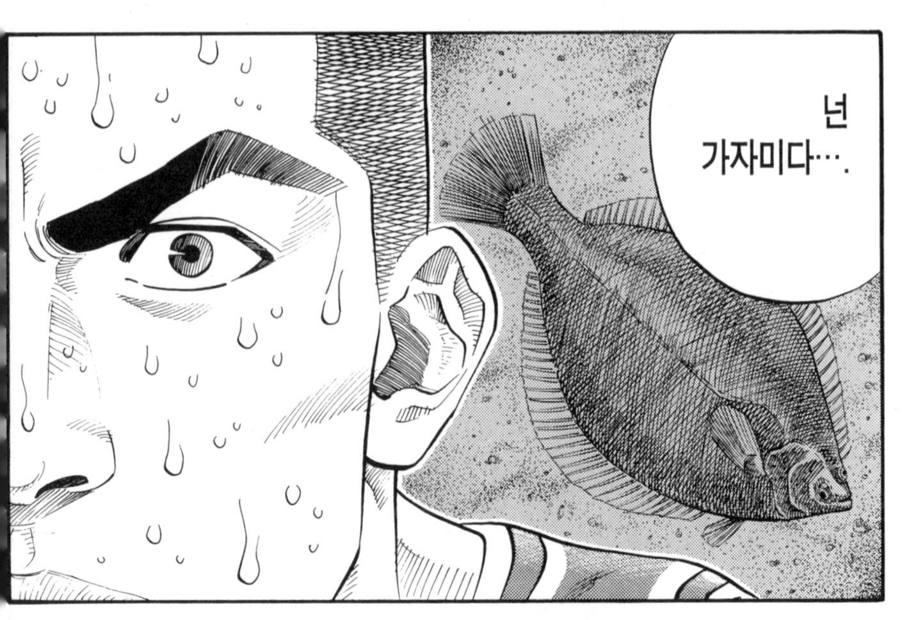
넌
가자미다….

진흙투성이가
돼라….

뭐,
뭐야…?
山王工高
7
山王工高
山王工高

두
소란을 피워 미안하게 됐군.
두
……
두
두
두
두
……
변덕규….
고맙네….
두
괜찮은가?
교체할 텐가?
아, 아뇨. 괜찮습니다!!
그럼 시작 하겠습니다!
삐
와아아아아아
북산
산왕공업
SEIKO
2ND

와
산왕공업
아
이번 골만 막자!!
이번이 중요하다!!
아

헉
헉

그리고 난…
헉
헉
헉
헉
헉

헉
신현철은 신현철….
헉
채치수는 채치수란 말이다….
헉
헉

와
아
우오오오!!

신현
신현
나는 나…
헉
헉

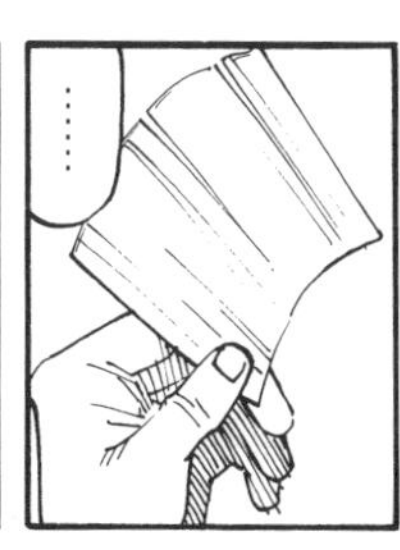

……

어째서 무를?
도무지 모르겠어…

무를 얇게 깎아 횟감에 곁들이는 야채로 만드는 거라네.
즉, 횟감을 돋보이게 하는 역할을 하지.

……!!

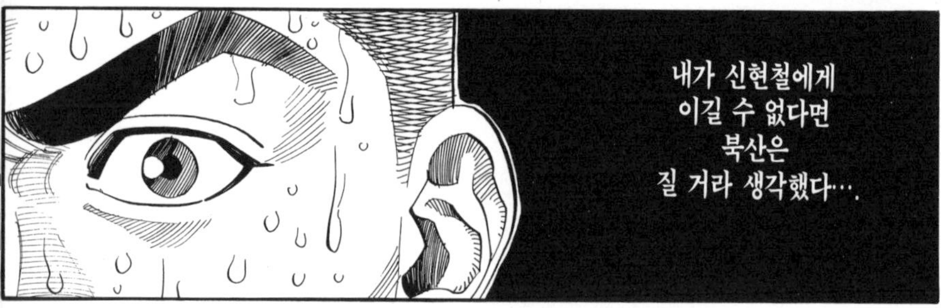
내가 신현철에게
이길 수 없다면
북산은
질 거라 생각했다….

우리 팀엔
주역이 될만한
선수가 많이 있다….
그는 그것을
말하고 싶었던
거예요.

웅성
!!
웅성
웅성

방금 전 그 녀석이다!
아직 안 갔나?
웅성 웅성
웅성
웅성

돌아왔잖아!
웅성
엄청 크네—.
웅성
……
웅성

헉
헉
헉

내가 안 되더라도 북산에는 저 녀석들이 있다.
내가 저 녀석들의 재능을 발휘시켜 주면 된다.

진흙투성이가 돼라—.
그 역할을 할 사람은 나밖에 없다!!

분명,
현 시점에서의
나는
신현철에게
지고 있다!
하지만….

헉
헉
헉
헉
헉
헉
북산은 지지 않는다—.
헉
헉
헉
헉
헉
헉
헉

……
저기 있다!
안 보여
웅성
웅성
웅성
웅성
재야, 재

신현철은
신현철.
나는
나다!
너석이 나보다
한 수 위라
해도…
북산은 지지 않는다!!

#247
골밑을 내주지 마라

아앗?!
포효하고 있어!!

짜앙
자아,
오너라!!
와
와
와
오빠…!!
치수야…
헤헤…
주장!
헉
헉
헉
우오—!!
크아—!
이제야…
헉
헉
헤헤
헉
고릴라다워졌군.
……
헉
헉
헉
헉
헉
치수야…
헉
헉

호옷―.
농구는 소리 잘 지른다고 이기는 게임이 아니다.
!!
아앗!!
대만이 형! 이제 한계인가?!
전혀 못 움직여!!

정대만!!
와!
파고든다!!
와!
와!
와!
채치수,
널 깔보고
있는 거다!!
와!
골밑만큼은….
절대
내주지
마라!!

후아아앗!!
!!

채치수!!

!!
SHOHOKU
4
6

더블
클러치!!
SHOHOKU
6

두웅

!!
우와아
아아아~
앗!!
북산
볼!!

헉
헉
헉
헉
헉
헉
헉
헉
헉
헉
헉
헉

헉
헉
헉
헉
헤헤!!
헉
헉

철썩

좋아,
간다!!
한골만
넣자!
와아
아아
아아
북산
우…

왓 왓
북―산!!
왓
북―산!!
왓 왓
콰
악

덤벼라!!

헉
흥…!
헉
헉
헉

?
No.1 센터의 칭호는 네게 돌아가도 상관없다.
하지만.

와—
전국제패는
절대 양보할 수
없다!!
와
와
와
와
헉
헉
헉
헉
헉
헉
이 녀석….
완전히 녹초가 돼서
얼굴색까지
변했잖아….
왜 교체하지 않는 거지…?
마땅한 교체선수가
그렇게 없나….
와—
신현철은
신현철….
응?
채치수는
채치수….
뭐야?
그리고
난….
난
누구냐…?
?
와—

난 누구냐고…?!
어서
말해 봐…!!
헉
헉
헉
헉
헉
헉
헉
……!?
말해 보라니?!
다시
백패스!!
승부
안 할 거냐?!
시끄럿!!

내 이름을
말해 봐…!!
헉
헉
헉
난
누구냐?!
헉
헉
헉
헉

무슨 소릴
하는
거야…?!
어서
교체시켜야 해!
이건 위험해!
헉
헉
헉

가라!!

스크린―!!

앗!

턱
!!
얏…!
와

그거야!!
정대만…!!
타
악

그래,
난 정대만.
포기를
모르는
남자지….
휘익

난 누구지?
비틀
응?
아까 말해줬잖아!

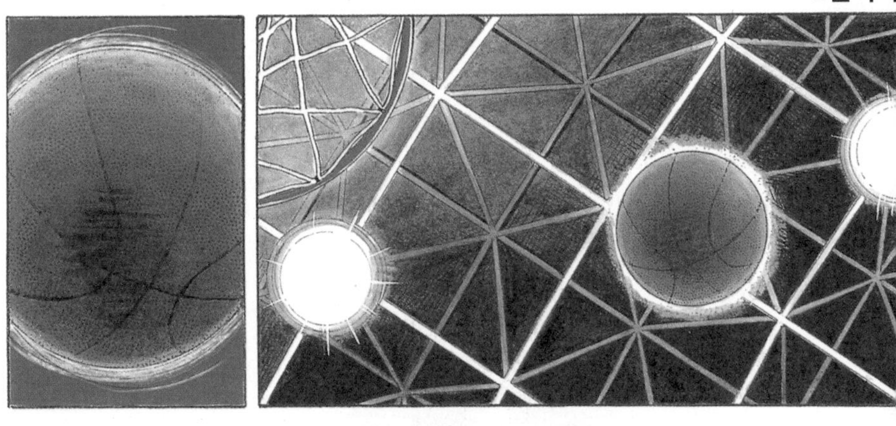

북 산
40
60

1학년
주전
알겠냐.

이건
절호의
찬스다!
여기서 이기면
스타팅 멤버
자리를 거머쥘
수 있어!!
정대만 1학년

그게
정말
이야?
아무도
그런 말
안 하던데?

어쨌든
대만이 넌
스타팅 멤버
자리 약속
받았잖아!
중학
MVP인걸.
그야
뭐-.

넌 이제
막 퇴원
했잖아
….
무리
하지
마라.
윽….

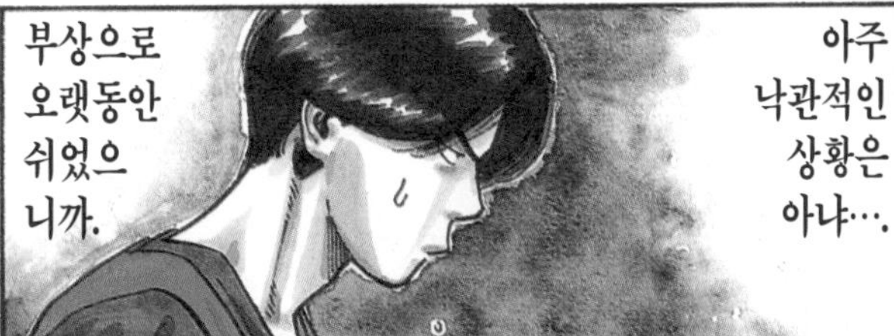
아주
낙관적인
상황은
아냐….
부상으로
오랫동안
쉬었으
니까.

자- 어서
시작하자!

하지만
이건
테스트다.
아마도…
이기면
스타팅 멤버!
채치수 1학년

적어도
나만은…!!

알았지,
작전은
말야….

볼-!
볼-!!
하이
포스트!!

응?

탁
약
아!!
!!
아―얏!!
호홋—!
빌어먹을
-!!
1학년
수권
10
9
21

바보
같은 놈!!

뭐?!

내 슈팅을
살리기 위해 네가
스크린을 해서
날 자유롭게
해주라고
했잖아!!
작전대로 해~!!
내가
주장한테
밀착마크
당했잖아!
날 위해서
움직여!!

이
고릴라
녀석!!
콩
호오-.
벌써
분열인가?

누가 너
따위를
위해서…!!
이 개똥
자존심아!!
게다가 난
스크린이
뭔지도 몰라!
찌잉
개똥
자존심…?!
!!

높이에서 내가 유리해!
네가 내게 패스하면 되는 거야!!
이게 작전이다!
이러쿵 저러쿵 지껄이지 마!!

와하하! 기술은 깡통인 주제에!
울컥 울컥

발끈
뭐라고?!

제발 그만해~….
사이좋게 해야지~….

1학년이지만 역시… 대만이와 치수는 가장 두드러졌다….
이 두사람이 협력만 하면 스타팅 멤버인 3학년이라도 당해내지 못할 텐데….

퍽
에잇!
......
아…
손이 멋대로….
거기 서지 못해-!!
어딜 도망가! 이 비겁자!!
시끄러!!
아아~! 둘 다 제발 그만해!

그만둬-!!
같은 팀이잖아-!!

북산
43
SEIKO
2ND
산왕공업
60

우와아아--!!
대만이 형!!
대만이 형!
오옷--!
빌어먹을…!!
와
와
와
와
……
헉
헉
헉
비틀비틀
하잖아….
그런데….

와!
와!
헉
헉
헉
헉
와 와!
와
와
헉
헉
헉
헉
헉
헉
헉
헉
헉
헉
......
헉
......
헉
헉

산왕공업
헉
헉
헉
……
헉
헉
헉
타
악
……
…녀석들,
2년이나
기다리게
하다니….

우오-
좋았어! 이것으로 점수차는 10점대!!
파이팅 북산!! 한 골만 더 막아라!!
힉!
!!
훙
!!
쿠-웅
출
벅

……!!
휴…
……
와
와
와
우와아아──!!
와아아아
이명헌의
3점슛─!!
과연
이명헌!!
분위기가
반전될 뻔한
상황에서 저런
멋진 슛을…!!
와
와
와
북 산
8:59
산왕공업
43
SEIKO
2ND
63
이것으로 다시
20점차!!
태섭아….
헉
헉
헉
헉
헉
헉
빌어먹을──!!

날 활용해라….
헉
헉
읍
헉
활용하라고…?
하아
하아
하아
그래….
치수가….
스크린을
걸어줄 거다.
내가 오픈이
된다….
놓치지 마라…!!
와
와
와
와
와
……
헉
헉
디펜스!
북산!!
와아아아
북산!!
디펜스!!

난 이제
저 6번을
막을 수 없다!

달리는 것도…
빠져 나가는
것도….

아무것도
할 수
없다….

턱
그런 나에게
3점슛을
빼앗아 가면,
이젠 아무것도
남지 않는다…!!
억
……!!
꾹
휙
아얏!
와악
팍

이젠 내겐
링밖에 보이지 않아—!!

오옷—!
헉
헉
헉
헉
헉
헉
헉
헉

……

부활했다──!!
정대만!!

산왕공업
헉
헉
헉
헉
SHOHOKU
4

#249 신뢰

우오-!
크아-.

아자!!
척
벅
쿠당
앗!?
정대만!!
파김치
대만!!

어떤 놈이
날 친 거야!
으~윽….

자,
오너라.
공격은
수비부터
니까.
……!!

왜지….
아무리 봐도
완전 녹초가
됐는데…!!
얼굴색이
파랗게
질렸는데….

저렇게
비틀거리는데
어떻게 3점슛을
쏠 수 있는
거지?!
응?
지금 수비할
차례가?

흠….
꽤 끈질기군.
하지만….

상대가 3점슛에
얽매이면 오히려
잘 된 것이다.

하지만 외곽에서만의
단조로운
공격이 되면….
수비하는
쪽은 훨씬
편하거든.

카앙

우오옷!!
콰앙

게다가
아주 좋은 슈터라도
성공률은 50%….
3점슛이라는 건
그만큼 어렵고
확률도 낮아.
디펜스
리바운드만
확실히 제압하면
산왕의 승리는
100% 확실해.

잠깐…!
디펜스
리바운드
…?!

정말 외곽슛
일변도군!

콰
봐랏!!
앙
북
산
SEIKO

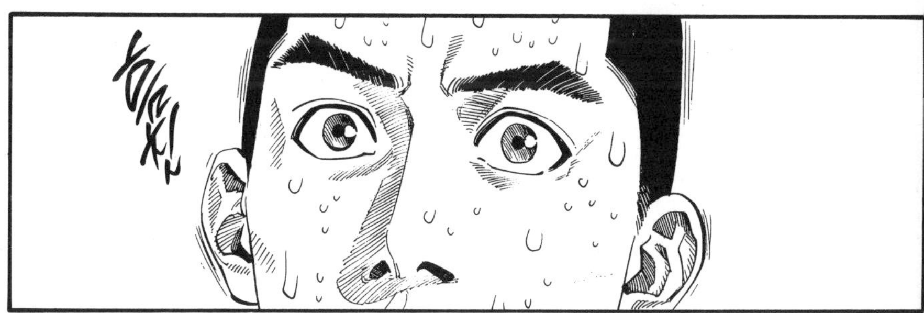

THE HIGH
-LOWS

山王工高

山王工高
5
OK

!!
저 녀석이 오펜스 리바운드를 잡아줄 거라 믿기 때문에ㅡ.
정대만은 어떤 망설임도 없이 슛을 쏠 수 있다는 건가!!

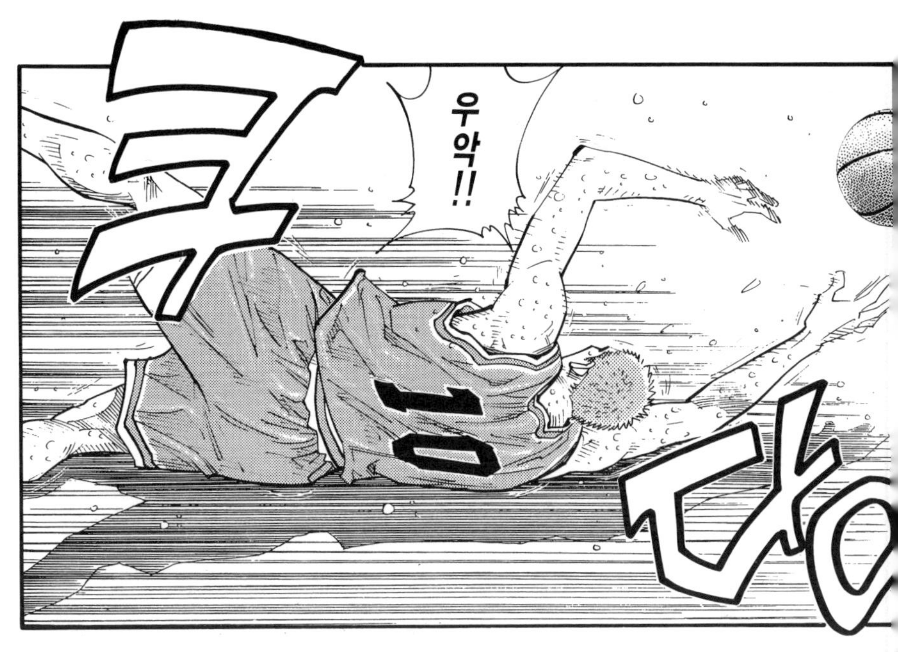
우악!!

철
아!!
썩
붕

!!

와아아
아
우와아아아아
~!!
아
아
말도
안 돼!!

북 산
8:10
산왕공업
49
SEIKO
2ND
와아
아
한계에 달한 정대만을 지탱시켜 주는 건….
자신을 위해 채치수가 스크린을 걸어주고….
안 들어가도 강백호가 리바운드를 해준다는 것….
송태섭이 그 순간을 놓치지 않고 패스를 해준다….
아
아

헉
그러한 신뢰―.
녀석은 지금 어린아이처럼 자기편을 완전히 의지함으로써, 어떻게든 스스로를 버티고 있는 것이다….
헉
헉
헉
헉
헉

신뢰…?!
웅웅
웅웅
북산에 그런 말이 있었나?!
웅웅
웅웅
믿을 수 없어!!

허억
허억
헉
헉
헉
이 시합, 종료까지 앞으로 10분…. 그때가 되면 정대만은 지금 이 순간을 기억하고 있을까.
헉
헉
……

여기서 그 누구도
생각지 못했던 일이
일어났다.

휘청
비틀
파악
핫
SHOHOKU
14
14

리듬
!!
!!

……
앗!!
빠르다!!
우오오
……

좋아,
가랏—!
앗!
우왁!
지금 파울하지 않으면 그냥 2점을 내줬을 거야….
과연 이명헌이야.
……!!

Dr.T의 도움이 되는 바스켓볼 강좌

〈인텐셔널 파울〉

고의적인 파울을 말한다. 이 경우 두 개의 프리스로가 주어지고 공격도 북산 볼로 스타트. 95년 4월에 개정된 새로운 룰에선 '언스포츠맨 라이크 파울'이라 한다.

※주: 현재 전국대회는 94년 3월까지의 경기 룰로 진행됩니다.

산왕공업
시합은 지금—.
#250 리듬

와아
크게
요동치기
시작했다.
SHOHOKU
4

와아아아아아
이길 수 있다…!!
흐름이 우리에게 넘어왔어!!
선생님…!!
음….
좋은 리듬을 타고 있군요…!!
와! 와!
설마…
역전하는 건 아니겠지….

헉
헉
헉
헉
헉
헉
지금이
포인트다!!
헉
이 찬스를
놓치면
산왕에
이길 자격은
완전히 사라지는
것이다!!
알겠나!!
헉
헉
이 찬스를
살리면
우린
살아남을 수
있다!!
헉

10점차로
줄인다!!
오옷!!
…백호야.
허-억
허-억
응?
와
와
와

헉
헉
헉
헉
……

웃샤.
짝
……

헉
헉

태섭 선배,
확실히
넣으라구!!

헉
헉
헉

와
북산의 이 좋은
리듬을 살리고 있는
사람이 누군지
알고 있나…?
와

도감독….
그것을 모른다면…

어쩌면 상대에게 먹힐 지도 모르지…!!

신중하게 잘 쏘라구!
빗나가면 죽을 줄 알아!!
시끄럿! 집중이 안 되잖아!!

제발 넣어라…
두근두근
……

…………

신장은 190cm 정도 될걸.
농구는 초보자인데….
정말 굉장한 선수가 될 거야!
앙?
또 기초야?
샐쭉
불끈
강백호.
네게 가르쳐줄 게 있다.
리바운드다.
그게 뭔데
리바운드를 제압하는 자는 시합을 제압한다!!

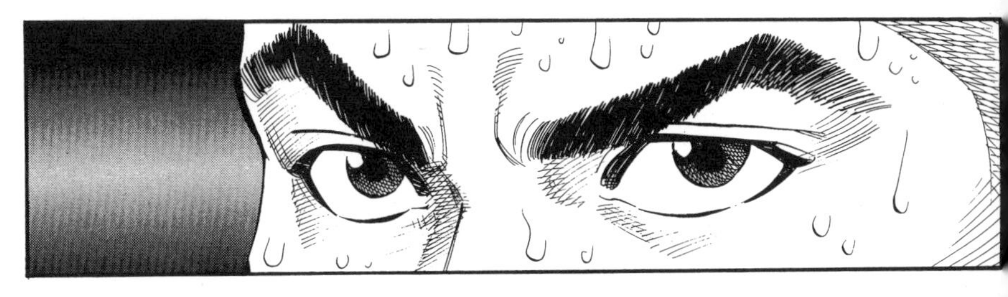

경기의 리듬을
우리 쪽으로
바꿔놓은 건
강백호!
녀석이
오펜스
리바운드를
모두
잡아내고 있기
때문이다!
북산

소연아….

네가 발견한
저 이상한
녀석이….
들어가라!
들어가라!

좋—았어!!
북산에 반드시 필요한 남자가 되었구나….
송태섭.
성공률이 낮은 프리스로를 집념으로 두 개 다 성공시킨다.
와아아아아아
산왕공업 63 8:03
북 산 51 2ND HALF

게다가
북산 볼—.

스크린!!
턱
또 정대만을
자유롭게
해 줄
셈이다!

이제
질렀다!
또
똑같은
패턴을
…
스위치!!

휙
!!

!!

아…
와아

우훗!!
…!!
SHOHOKU
4
6
오

고릴라
나이슷 파
아아아
더~엉크!!!
왕공
아아
굿 리듬!
현철아.
예….

10점차다-!!!
SEIK
2ND

강백호에게
붙어라!

선수 교체!
삐삐익——
안녕, 원시인…
이겼다…

강백호의 강력한 리바운드가 있기 때문에….
정대만이 마음 놓고 3점슛을 쏜다. …결과는 상당히 좋다.
외곽슛이 들어가기 때문에 당연히 수비도 외곽으로 몰린다.
그러자 이번엔 안쪽을 공격한다.
이리해서 좋은 리듬이 생긴 것이다.
가장 먼저 막아야 할 것은….
강백호의 리바운드였어….

#251 마음껏 날뛰어라

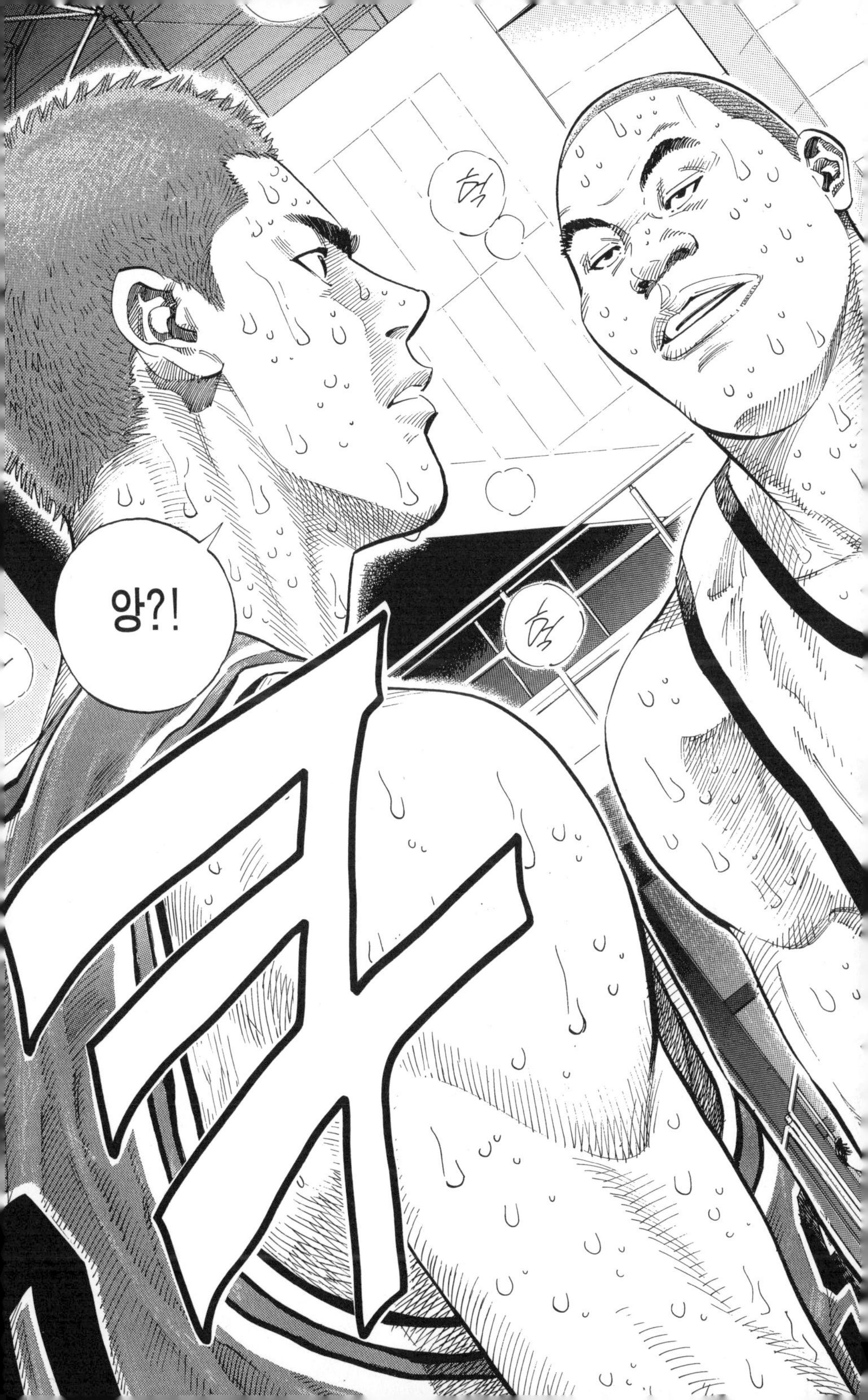
헉
앙?!
헉

!!
신…
신현철이
…?!
SHOHOKU

신현철이 저 빨강 까까머리를 마크하고 있어?!
깎아아아아
우와아아아아~!!!
아아아
그리고 채치수에겐 신현필이다!!
신현필로 될까…?!
털
썩
……
골밑 수비에….
전력을 다하겠어!
두근 두근

현철아—.
헉
헉
헉
헉
내가 오늘만큼
리바운드를 빼앗긴
상대는,
너 이외엔 저 녀석이
처음이다….
빌어먹을!!

이 이상
강백호를
제멋대로
날뛰게 둬선
안 돼!!
헤헤헤….
와아아
아
아
아
아
뭐가 그렇게
즐겁나,
빨강 까까머리!

고릴라까지 완전히 녹초로 만들어버린 이 떡판 고릴라가….
나의 리바운드를 막기 위해….

?

헉
날 마크하고 있어…!!
바로 이몸을…!!
헉
헉
헉
헉

와아아아아
광장해….

신현철은
확실히….
전국 최고라고
말할만한
센터….

이건 전국 제일의
산왕이,
백호가 그만큼
가치 있다고
인정했다는
거잖아…!

백호야….

믿을 수 없는
광경이다….
산왕의
신현철이
백호를
마크하고
있어….

그 풋내기
백호를…!!

하하핫~!
어디 한번
죽기 살기로
덤벼보시지,
떡판 고릴라!!
그래도
이 천재는
막지
못할걸!!
山王工高
7

우하하!
그렇게
해주마!!

리바운—!!
캉
으랏차!!
가앗

터억
크앗…!!

아!!
!!
!!
백호야!!
어?
거기
있었군.

윽…
부
!!
웅
크
큼
저 넓적이 녀석!!
와
앗
아얏!!

스
!!
웅
안 돼!!
정우성이다!!

헉
헉
헉
헉
더는
못 가.
호오….

쫘악
좋아! 잘 막았다, 태웅아!!

!!

앗! 반대 사이드!!
윽!

씨익

와아
신현철이 어느새 여기까지?!

OF
THAT DOG
LOTTA LOVE

후얏!!

쿠우웅
우와―!! 저지했다!!

그런 시답잖은 패스도 못 막고…!!
헉
헉 헉
자고 있었냐, 여우!!

헉
헉
헉
헉
헉
뭐어?

산왕 볼!!
우와아~앗!
우와아아아
앨리웁 패스를 내리쳤어!
저 빨강머리 …!!
#252 인재

저 녀석…
도대체….

누구지?

야, 서허풍!
뭐?

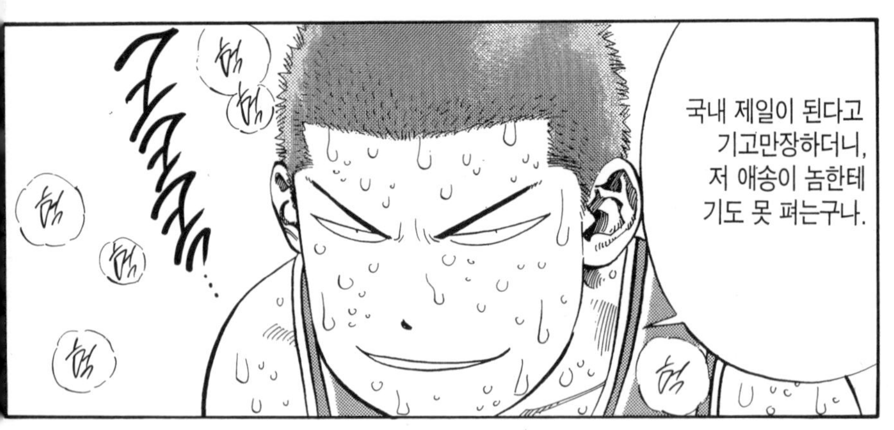
국내 제일이 된다고 기고만장하더니, 저 애송이 놈한테 기도 못 펴는구나.

……

무시 하기냐!!
……

훗, 입이 열 개라도 할 말이 없지…?
정곡을 찔려 뜨끔할 거다.

자아, 디펜스다! 강백호!!
넌 저 동생 쪽을 마크해!!

훗, 또 당하러 나왔냐?
흥!
……
강백호를 내게 붙여라.
뭐?
녀석을 관찰했다.

산왕공업	63	7:25
북 산	53	2ND HALF

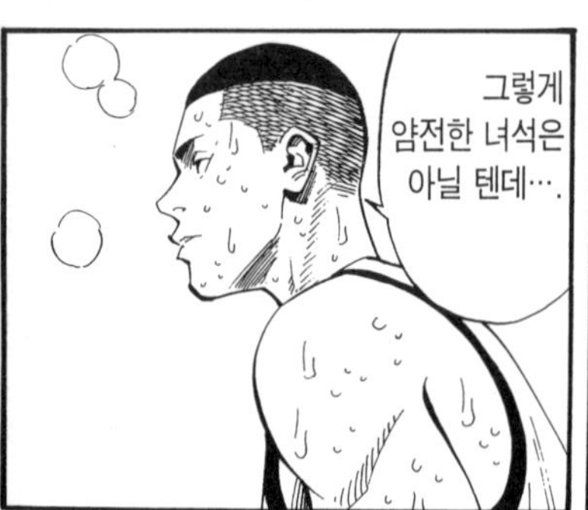

스태미나
조절이
잘 안 되나?

헉
헉
헉
……!!

한창 떠오르는
1학년 에이스를
내가 짓누르긴
좀 그런데….

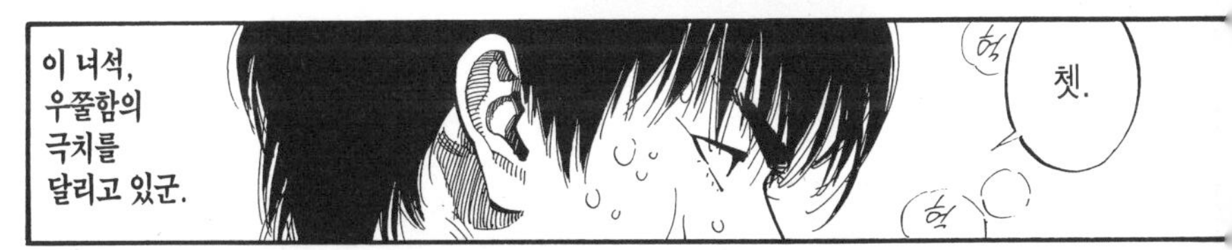
헉
첫.
헉
이 녀석,
우쭐함의
극치를
달리고 있군.

멍청한
놈….
헉
헉
헉
헉
헉

국내 제일이
된다고
기고만장하더니
저 애송이
놈한테….

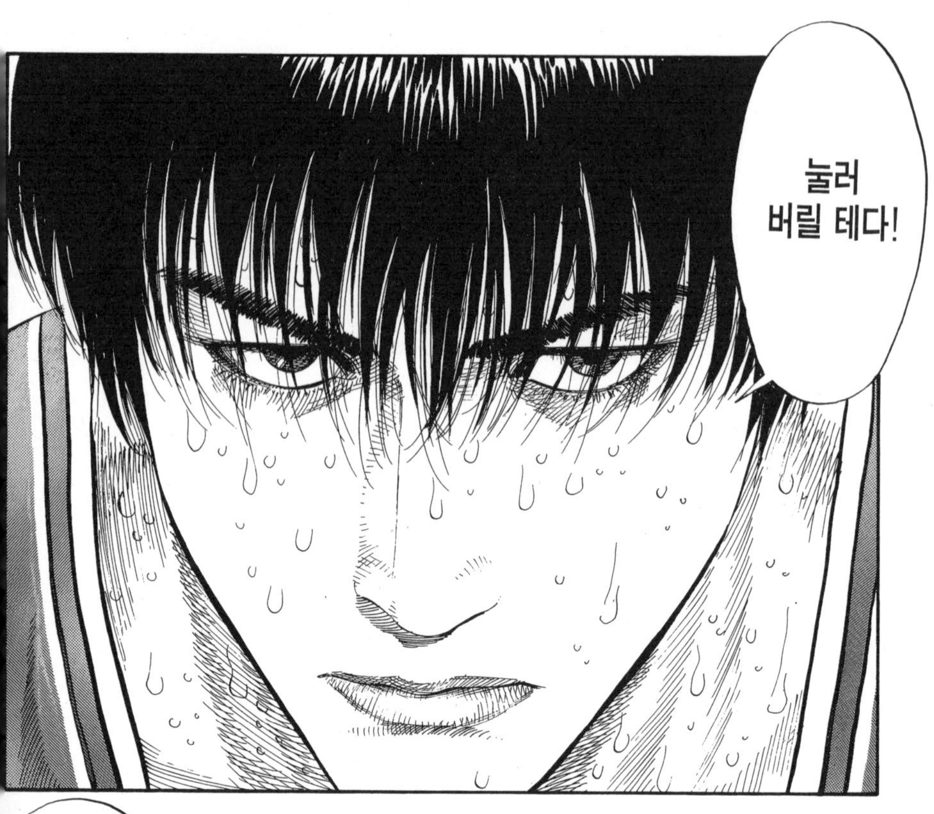
눌러
버릴 테다!

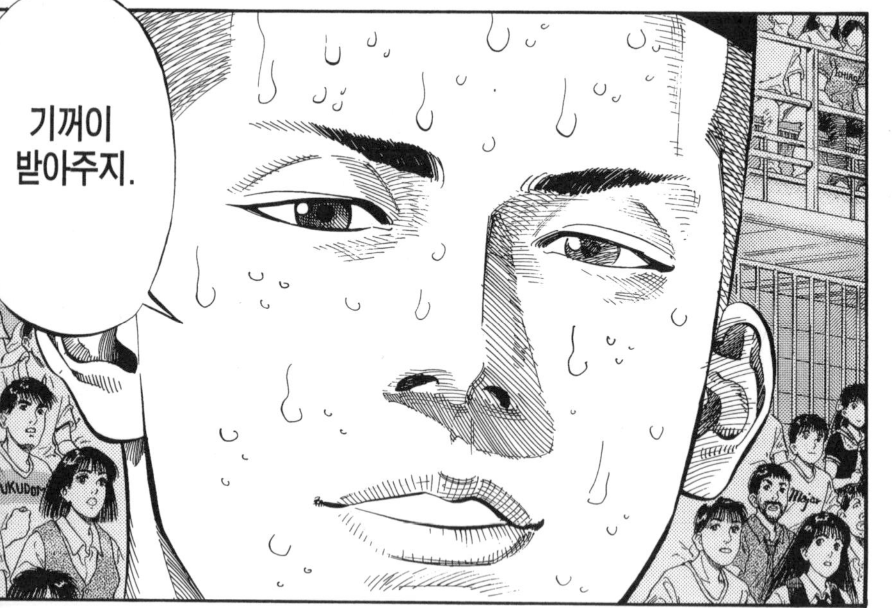
기꺼이
받아주지.

!!
아차,
스위치!!

엥?

Dr.T의 바스켓볼 강좌
〈스위치〉 스크린에 대비한 디펜스 중
하나. 마크하는 상대를 바꾸는 것.
!!

신현철을
막아—!
…란 얘기다!

OK!!
탁

파
더블
클러치!!
와아아아
...!!

어…?
아직도
있어?
아-!!
야아아
아깝다!

나이스—!!
좋아—!
속공—!!
!!
……

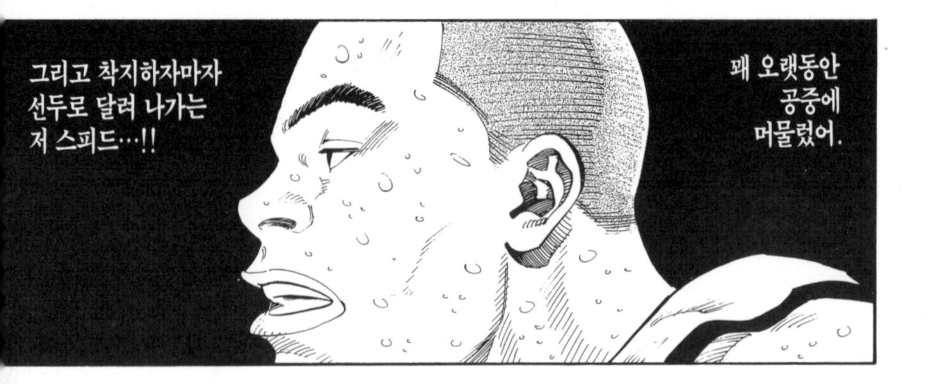
쾌 오랫동안
공중에
머물렀어.
그리고 착지하자마자
선두로 달려 나가는
저 스피드…!!

블로킹을 위해
풀 파워로
점프한 후,
저렇게 달려
나갈 수 있다는 건
놀라운 일이다.
누구도
저런 건 보지
못했을 거야.

……

……

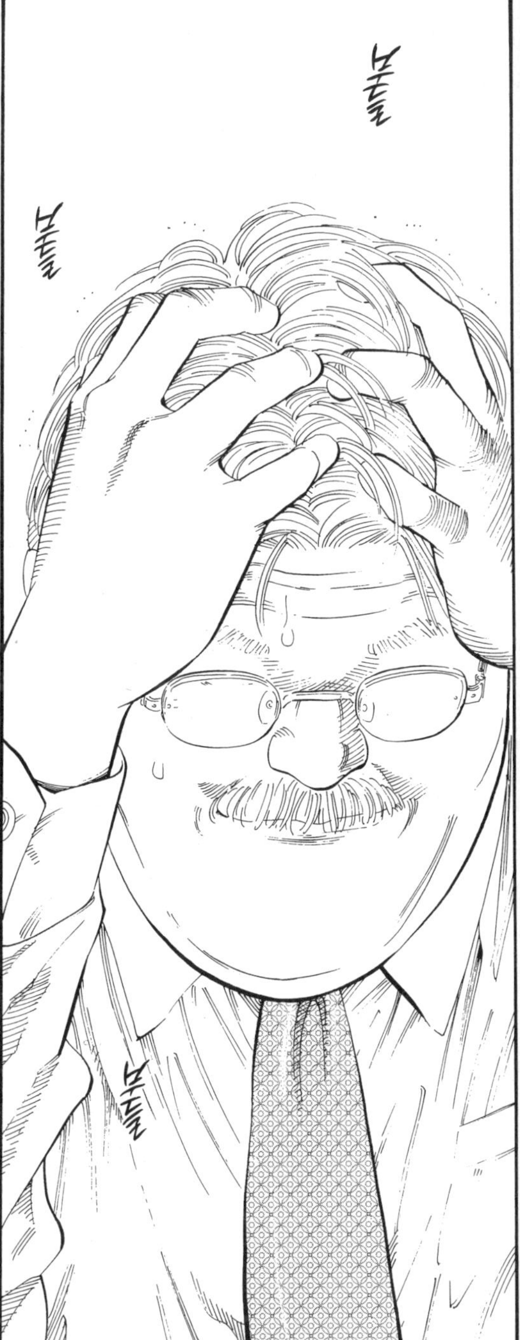
부들
부들
부들

이보게….

보고 있는가
재중군….

자넬 능가하는
뛰어난 인재가
여기에 있네…!!

툭
웅

아앗~!
실수다!!

SHOHOKU
11
4

……
SHOHOKU
11
山王工高
9
SHOHOKU
山王工高

북산
7:10
산왕공업
55
SEIKO
2ND
63
8점차다!!
우와아아~!!
점수차가
드디어
한 자리!!
서태웅!!
그것도….

무려 둘이나….
재중군….
서태웅 LOVE
정대만

SLAMDUNK
#22
井上雄彦
재중 군을 모르는 분! 이걸 읽도록 해요.
이걸!!

와아
아
북 산
7:08
산왕공업
30
SEIKO
55
2ND
63
아아
후반 시작 후, 눈 깜짝할 새에 20점 이상의 점수차가 벌어졌었지만….
……
아무도 주목하지 않았었는데….
아아
서서히 추격하면서 결국 8점차까지…!
북산 따위….
헉
헉
헉
헉
헉

와
와
…저 1학년
콤비를 계속
활개치게 놔두면
문제가 심각해질
거예용.
……
와
와
와

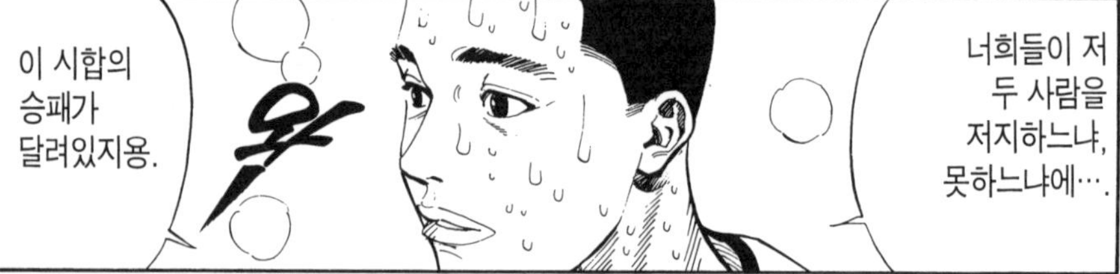
너희들이 저
두 사람을
저지하느냐,
못하느냐에….
와
이 시합의
승패가
달려있지용.

……
와
와
당하면
되갚아주면
되는 겁니다.
山王工高

…세 배로….
자존심이 패 상했나 봐.
조금 전 그 덩크로 말이지용.
북산 1학년 에이스의….
수군 수군
패스해 주세요, 명헌이 형!

山王工高
4
山王工高
7

와
와
와
#253
에이스 정우성의 역습

싸워라
싸워라
산왕!
이겨라
이겨라
산왕!
싸워라
싸워라
산왕!
이겨라
이겨라
산왕!
싸워라
싸워라
산왕!
싸워라
싸워라
산왕!
이겨라
이겨라
산왕!
이겨라
이겨라
산왕!

와아
응원석 분위기가 바뀌었어요.
그래. 산왕 관중석 쪽에서도 아까까지의 여유는 더 이상 없는 거야.
아아
PRESS

설마 북산이 이렇게까지 산왕을 몰아붙이다니….
PRESS

저 아이들의 저력은 도대체…?!

SHOHOKU 4
SHOHOKU 7
SHOHOKU 14

싸워라 싸워라 산왕!
으~ 시끄러! 응원 따위가 다 뭐냐!
우리도 지지 말자!
우와아
이겨라 이겨라 산왕!
디펜스 한 개만 막아!
하나도 안 들려!
아아아

와—
와—
와—
와—
와—
와—
와—
와—
와—
와—
10
9

와—
산왕이 애먹고 있군요!
와—
북산이 끈질기게 수비하고 있어. 좋은 디펜스다!
와—

4분 동안 3득점밖에 못했다.
득점이 완전히 멈췄어….
SANNOH

이번 슛이 들어가지 않으면 타임아웃을 부를 수밖에 없어….
이제
이 이상은….

웃!!
!!
!!
아!!
위험하다!
디펜스!!
공을
내리면
어떡해!!

꺄약ㅡㅡ!!
SHOHOKU
11
가랏!
북산의
에이스!!
SHOHOKU

와 아 아
아 아
SHOHOKU
SHOHOKU
……

받아랏…

PRESS SEATS
プレス席

!!
SHOHOKU
9

!!

……
뭐야!!
갑자기!!

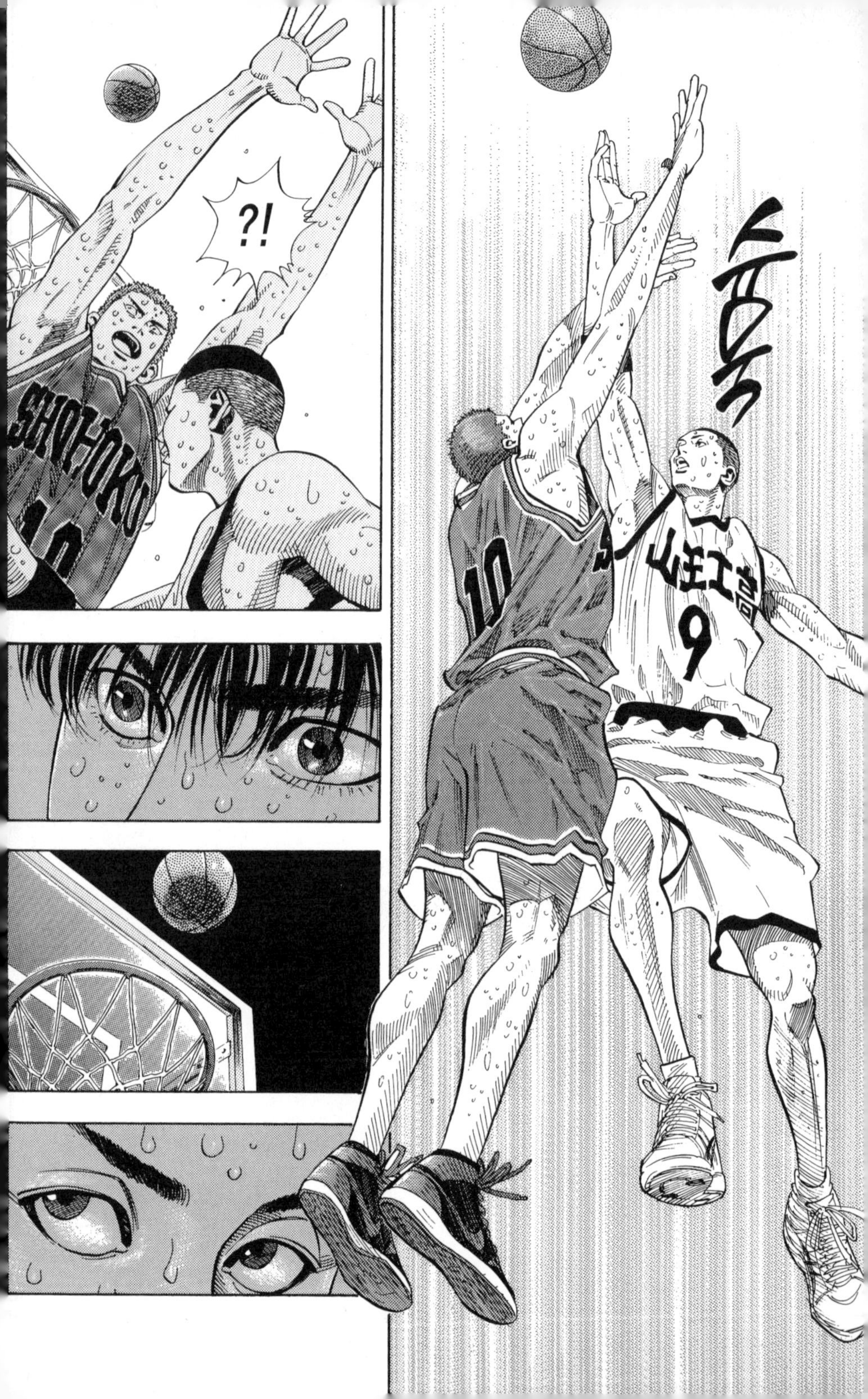

저게 날 갖고 놀아!?

땅꼬마
까까중
녀석이…!!
이…
이…
헉
헉
헉
헉
헉
헉
헉
우와
아
아
아
아
아
아
경기장 안에 있던
산왕팬들의 힘찬
환호성이
터져나왔다.
이 흥분은 산왕이
지금까지 얼마나
고전했던가를
말해주고
있었다.

#254 수퍼 에이스

역시 위기의 순간에 뭔가 해주는 녀석이야!
이대로 밀어 붙여라, 산왕!!

와아아아아
산왕팀의 모든 선수가 바라고 있던 것을 해낸, 정우성!
이 고비의 순간에….
역시 굉장하군.
아아아아
와
와
와
날 얕봤겠다~. 땅꼬마 까까중!
그 개폼 같은 슛은…! 이 천재를 무시한 거야!
헉
헉
헉
헉

와
와
그렇지도
않아.
와
와
응?

와
와
?
정우성이 저 슛을
우리나라에서
쓴 건
처음이다.

헉
헉
헉
우리나라에서…?

와
와
와
와
북 산
6:35
산왕공업
SEIKO
55
2ND
와
빌어먹을….
단 한 사람의
플레이로
이렇게까지
분위기가 변할 수
있다니….
와
와

와 와
췟, 저 녀석들.
와 와
조금 전까지만 해도 초상집 분위기 같더니…!

그렇다면….

단 한 번의 플레이로 흐름을 바꿔 버린다.
이것이 바로 에이스의 힘인가….

북산에도 있다구요!
지금까지 몇 번이나 상대를 눌러버렸던 에이스가…!!

제쳤다!!
아냐!

멍청한 놈! 스피드가 있는 건 알지만…!
!!
허만 찔리지 않으면, 정우성의 운동능력이 모든 걸 막아낸다.
속이 빤히 들여다보이는 플레이다!!

와와
와와
와와
아니, 뚫린 게 아니잖아!!
반대로 신현철이 길목을 지키고 있는 곳에 몰아넣었어!!
7
11
9
11
9
아아!!
와!
갇혀 버렸잖아!!
와!
패스해, 태웅아!!
SHOHOKU
7
와!
북산이라는 팀….
여기까지 꽤 선전해 왔지만….
와!

승부는
끝났다!
에이스의
기량 차이다.
OGINO

쳇!
명헌이 형!!
응!
!!
나이스
커트!!

와앗?!
정우성!!

이 바보
같은 놈!!
너만
튀어 보려고
하니까 이렇게
된 거 아냐!
여우!!
저 원숭이 녀석.
이 상황에서도
주둥이는 살아
가지고….
전국
제일
이라고?!
웃기지
마라!!
다다다다
이 주제도
모르는
놈!!
!

지난 2년 반 동안, 아무도 해낸 적이 없는 '타도 산왕' 을 이루는가 하고 한순간이나마 생각하게 해준 것만으로도 북산팀에게 박수를 보내고 싶다.
…하지만.
역시 정우성을 쓰러뜨리지 못하면 '타도 산왕' 은 불가능하다!
수퍼 에이스 정우성을 쓰러뜨릴 수 있는 건….

마성지!!
너밖에 없다.

솔직히 말하면….
묵—묵
자신 없는데….

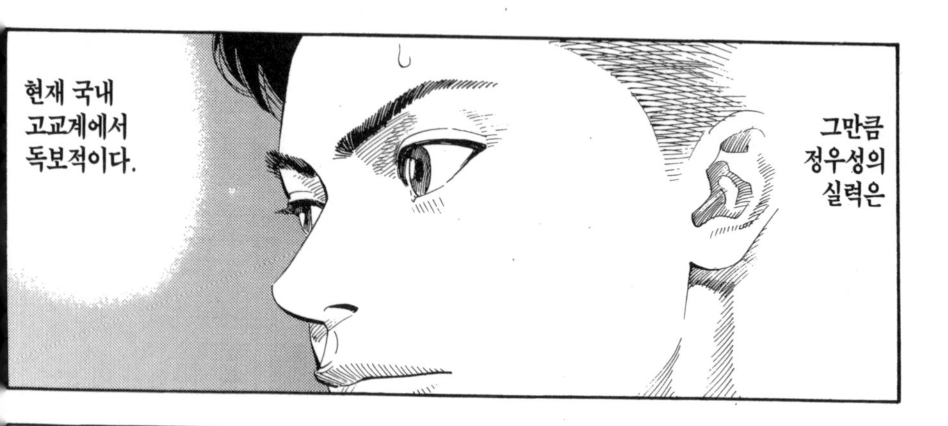
그만큼
정우성의
실력은
현재 국내
고교계에서
독보적이다.

짜악

부
웅
아앗!
또
개똥슛을
—!

호오—.
너도 꽤 강백호를
경계하고 있구나,
정우성.

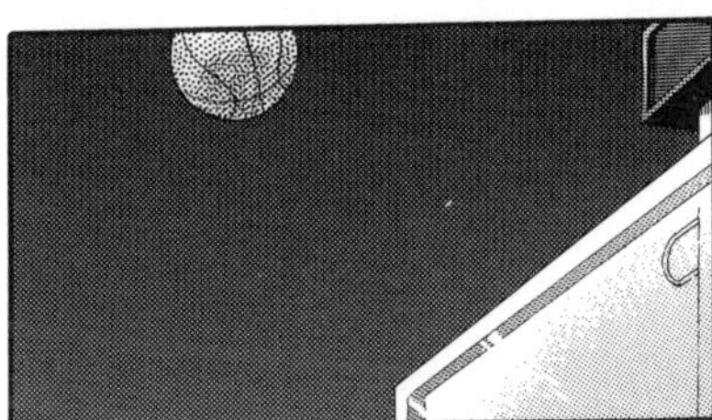

철썩
!!

와아아아아아
와아아—!!
나왔다,
나왔다,
나왔다아
~!!
북 산
산왕공업
2 ND
안 돼.
또
벌어졌어!!
게다가
이젠
시간이…!
와
와

이건 운이야—!
그런 개똥슛이
들어가다니—!
너!
덩크 같은 걸로
확실히
승부하지
않을 거냐!!
와
와
와
와
안 해.
네 블로킹이
꽤 높아서….
알긴
아는군.
앗!
욱….
12
점차….
남은
시간은
6분….
…여기까진가…?!

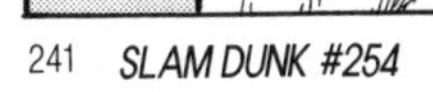

....

헉
헉
헉
헉
헉
헉

…여기까지가
우리의
한계인가!?
헉
헉
헉
헉
헉

국내
제일이라고?

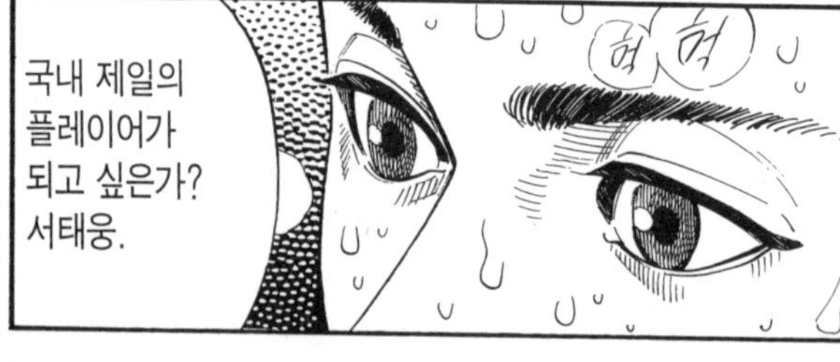
국내 제일의
플레이어가
되고 싶은가?
서태웅.
헉
헉

얼마든지
그렇게
되어라.
단 내가
없어진 다음에
말이야.
헉
헉
헉

…입
닥쳐.
헉
헉
헉
헉

22 SLAM DUNK(完)

슬램덩크 완전판 프리미엄 22

2007년 9월 23일 1판 1쇄 발행 2023년 2월 14일 2판 3쇄 발행

•

저자 ······ TAKEHIKO INOUE

•

발행인 : 황민호
콘텐츠1사업본부장 : 이봉석
책임편집 : 김정택/장숙희
발행처 : 대원씨아이(주)

•

서울특별시 용산구 한강대로 15길 9-12
전화 : 2071-2000 FAX : 797-1023
1992년 5월 11일 등록 제 1992-000026호

•

•

ISBN 979-11-6944-819-2 07830
ISBN 979-11-6944-793-5 (세트)

•

• 잘못 만들어진 책은 구입하신 곳에서 바꾸어 드립니다.
• 문의 : 영업 02-2071-2075 / 편집 02-2071-2116

SLAM
슬램덩크 완전판 프리미엄
DUNK

SLAM
슬램덩크 완전판 프리미엄
DUNK